ALFAGUARA
INFANTIL

ALFAGUARA INFANTIL

© Del texto: 2008, Celso Román
© Ilustraciones: 2008, Alekos
© De esta edición:
   2008, Distribuidora y Editora Aguilar, Altea, Taurus, Alfaguara, S.A.
   Calle 80 No. 10-23
   Teléfono (571) 639 60 00
   Telefax (571) 236 93 82
   Bogotá – Colombia
   www.santillana.com.co

• Aguilar, Altea, Taurus, Alfaguara, S.A.
Av. Leandro N. Alem 720 (1001), Buenos Aires
• Santillana Ediciones Generales, S.A. de C.V.
Avda. Universidad, 767. Col. Del Valle,
México D.F. C.P. 03100
• Santillana Ediciones Generales, S.L.
Torrelaguna, 60.28043, Madrid

ISBN 978-607-11-0325-3

Primera edición en Colombia, Octubre de 2008

Diseño de la colección:
Manuel Estrada
Coordinación editorial:
Zully Pardo Chacón
Diseño y armada:
Catalina Orjuela Laverde

Published in the United States of America
Printed in the United States of America by NuPress

15 14 13   1 2 3 4 5 6 7 8 9

Mi papá es mágico

Celso Román

Ilustraciones de Alekos

ALFAGUARA

Cuando vamos al parque

Mi papá me divierte.

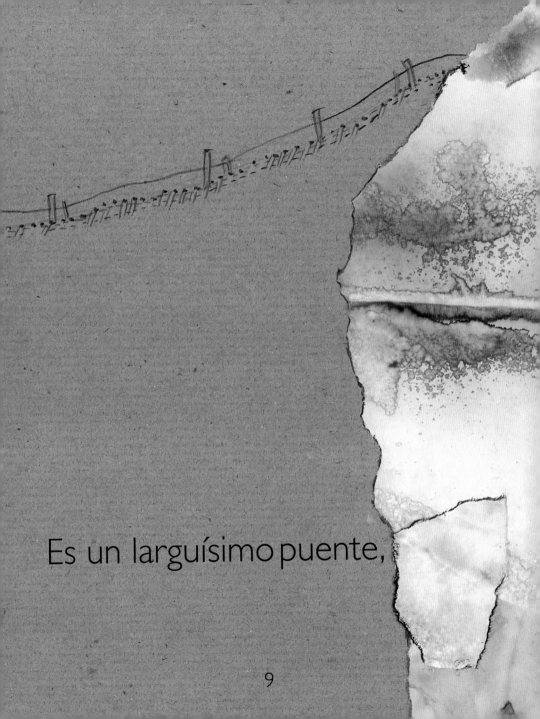

Es un larguísimo puente,

arqueado y colgante.

Es balancín de vuelo

que me sube hasta el cielo.

Es una montaña

y una torre extraña.

Es caballo galopero

y canoa con remero.

Es camello caminante

y elefante elegante.

Es el mejor domador

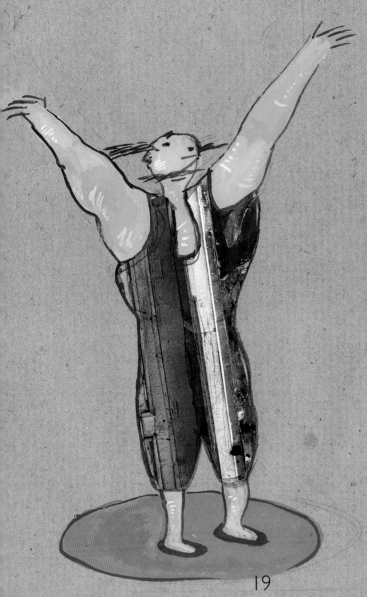

de los perros del sector.

Mi papá lleva trigo

y conseguimos un amigo.

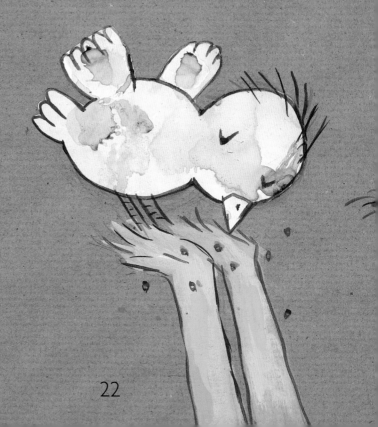

Mi papá es el más lindo

de todos los del
mundo.

Cuando el sol deja el parque,

es hora del embarque

en mi amigo el velero;

el papá
que yo quiero.

Celso Román.

Nació en Bogotá pasada la mitad del siglo XX. En su infancia soñó aventuras en la azotea de una casa desde donde se veían los ángeles tras las nubes y en una finca donde él y sus ocho hermanos jugaban a la selva, tenían una casa en un árbol y un castillo a la orilla del amoroso río Calandaima. Después del Colegio estudió Medicina Veterinaria, por amor a los animales, y Bellas Artes por amor a la escultura. Viajó a los Estados Unidos y vivió en Nueva York y en Iowa, siempre soñando libros premiados como *Los Amigos del Hombre*, *Las Cosas de la Casa* y *El Imperio de las Cinco Lunas*. Su obra recibió los premios Netzhualcoyotl de México y José Martí de Costa Rica. Celso sigue por la vida soñando libros y educando ambientalmente con la Fundación Taller de la Tierra. Es amigo de los jaguares, los árboles, los ríos y los seres mágicos que habitan el planeta.

Alekos.

Es una criaturita llena de magia, tal vez heredada de su padre carpintero, calígrafo, y mecano-taquígrafo que trabajaba en una imprenta. Su infancia transcurrió en un lugar maravilloso, con tres gallinas que tenían apellido —*la Forero, la López* y *la García*—, un perro con nombre de flor: *Jazmín*, una miquita llamada *Mona*, y una lora que siempre quería cacao.

Desde entonces empezó a buscar la manera de contar con colores y con música todo aquello que veía. Dibujaba tan bonito, que en el colegio le decían "esa tarea se la hizo su papá o su hermana". Para demostrar que era un artista buscando su propia manera de pillar el mundo, estudió Bellas Artes en la Universidad Nacional.

Un día ocurrió una especie de milagro: navegando en la magia de un cuento para niños, pintó un libro que le gustó mucho a él y más a sus pequeños lectores. Desde entonces lo sigue haciendo con tanto cariño, que le salieron alas en el corazón y con ellas voló hasta España. Allí vive y hace esculturas pequeñitas de metal; viaja inventando ilusiones con un grupo llamado *Teatro de los Sentidos*, y gracias a ellos Alekos se volvió *mago del tarot* en la península, *habitante de roperos* en Brasil y Venezuela, *troll* en Italia, *acariciador de sombras* en Copenhague y Amberes, y en Francia es *director de un cabaret de deditos*. Con la música le canta a los dolores del amor, y su corazón de criaturita llena de magia sigue buscando felicidades, pues eso es lo que más le gusta.